Ilustracje: Carlos Busquets
© 2012 Wydawnictwo Elżbieta Jarmołkiewicz Sp. z o.o.

Wydawnictwo Elżbieta Jarmołkiewicz Sp. z o.o.
66-200 Świebodzin, Raków 22
tel. 683 268 484
www.wydawnictwojarmolkiewicz.pl

Bajeczki na Dobranoc

Wydawnictwo
ELŻBIETA
JARMOŁKIEWICZ

SPIS TREŚCI

KOT W BUTACH

Pewnego dnia stary młynarz wezwał do siebie trzech synów. Postanowił rozdzielić między nich swój majątek, aby nie kłócili się po jego śmierci. Najstarszy syn dostał młyn, średni osła, a najmłodszy Michał – kota. Niedługo potem młynarz zmarł.

– Każ mi uszyć parę butów, Michale, a ja zrobię z ciebie wielkiego pana! – odezwał się kot ludzkim głosem.

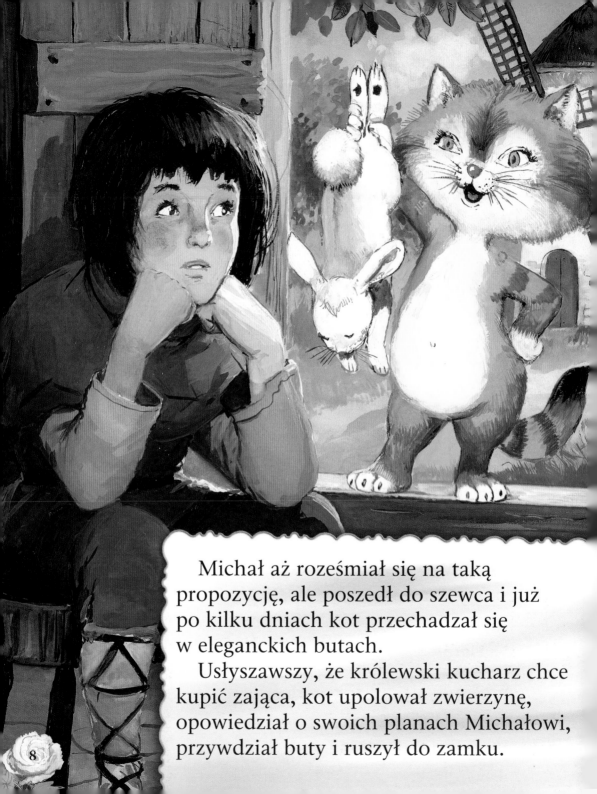

Michał aż roześmiał się na taką propozycję, ale poszedł do szewca i już po kilku dniach kot przechadzał się w eleganckich butach.

Usłyszawszy, że królewski kucharz chce kupić zająca, kot upolował zwierzynę, opowiedział o swoich planach Michałowi, przywdział buty i ruszył do zamku.

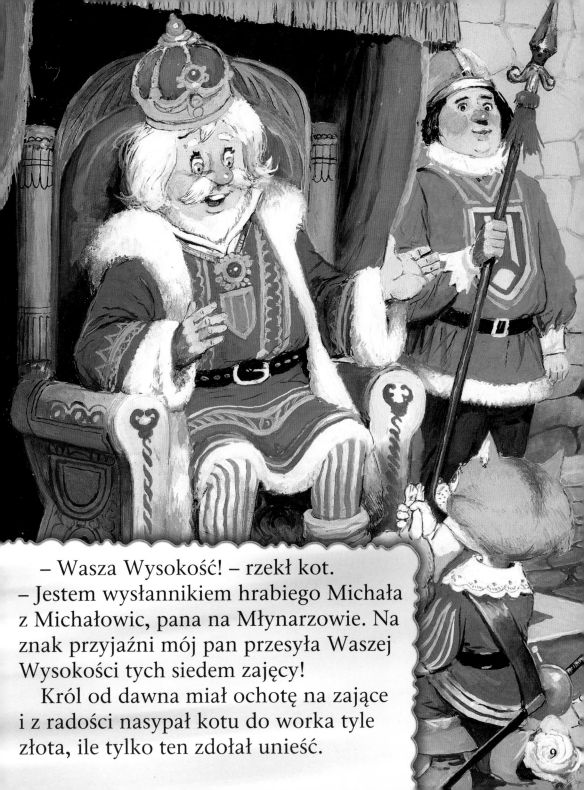

– Wasza Wysokość! – rzekł kot.
– Jestem wysłannikiem hrabiego Michała
z Michałowic, pana na Młynarzowie. Na
znak przyjaźni mój pan przesyła Waszej
Wysokości tych siedem zajęcy!
   Król od dawna miał ochotę na zające
i z radości nasypał kotu do worka tyle
złota, ile tylko ten zdołał unieść.

9

Kot codziennie nosił królowi prezenty z lasu – głuszce, przepiórki, bażanty i kuropatwy. Pewnego razu usłyszał, że woźnica ma zawieźć króla i księżniczkę nad rzekę. Kot zawołał Michała i też tam pobiegli. Michał wskoczył do wody, a kot schował jego ubranie w krzakach.

Gdy nadjechała królewska kareta, kot poprosił o pomoc:

– O, Najjaśniejszy Panie! Mój pan zażywał
kąpieli i skradziono mu ubranie. Jeśli pozostanie
w wodzie dłużej, na pewno się przeziębi.

Słysząc to, król rozkazał sługom, by przynieśli
ubranie dla hrabiego, który odziany w królewskie
szaty, bardzo spodobał się księżniczce.

Król, wdzięczny Michałowi za otrzymywane ptactwo, zaproponował mu miejsce w swojej karecie. Razem wyruszyli do zamku hrabiego. Tymczasem kot udał się do zamku, którego prawdziwym właścicielem był czarownik. Napotkanym po drodze ludziom nakazał, by mówili, że łąka, pole i las należą do hrabiego.

Na miejscu podstępnie
sprawił, że czarownik
zamienił się w myszkę. Kot
w mgnieniu oka capnął
ją i zjadł. W ten sposób
Michał został nowym
właścicielem zamku.

Król, podziwiając piękne posiadłości hrabiego i jego zamek, postanowił oddać synowi młynarza swoją córkę za żonę.

Żyli razem spokojnie i szczęśliwie, a kiedy umarł stary król, krajem zaczął rządzić Michał. Był mądrym i dobrym władcą. Kota mianował ministrem i odznaczył orderem na złotym łańcuchu.

Przy każdej ważnej decyzji zasięgał jego rady, bo w całym królestwie nikt nie był tak mądry jak on.

CZERWONY KAPTUREK

Żyła kiedyś dziewczynka, którą nazywano Czerwonym Kapturkiem. Była dla wszystkich miła i uprzejma. Kiedy usłyszała, że jej babcia zachorowała, natychmiast postanowiła ją odwiedzić. Gdy szła leśną drogą, spotkała wilka.

— Dzień dobry, Czerwony Kapturku – pozdrowił
wilk dziewczynkę z uprzejmym ukłonem. – Czy
mogę spytać, dokąd się wybierasz?

— Idę odwiedzić chorą babcię – odpowiedziała.
– Jej chatka stoi po drugiej stronie lasu.

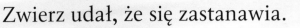

Zwierz udał, że się zastanawia.

– Dlaczego więc nie pójdziesz na skróty, tą ścieżką? – zapytał, wiedząc doskonale, że to nie skrót, tylko znacznie dłuższa droga... Wilk chciał bowiem dotrzeć do chatki babci wcześniej niż Czerwony Kapturek.

Zaplanował, że najpierw zje babcię,
a gdy nadejdzie dziewczynka – także i ją.
To dopiero będzie uczta! Zdyszany zwierz
zapukał do drzwi leśnej chatki.

– Kto tam? – zapytała słabym głosem
babcia.

– To ja, babciu, Czerwony Kapturek
– odparł oszust cieniutkim i słodkim głosem.

– Ach, to ty, Czerwony Kapturku!
– zawołała uradowana babcia. – Cieszę się,
że przyszłaś, wejdź proszę!

Drzwi się otworzyły i do chatki wpadł ze
strasznym rykiem ogromny, stary wilk!

Babcia tak się go przestraszyła, że aż zemdlała.
Zwierz postanowił ukryć babcię w szafie
i zaczekać na Czerwonego Kapturka. Założył
szybko czepek i koszulę babci i wskoczył do jej
łóżka. Po chwili usłyszał cienki głosik:
— Babciu! To ja, Czerwony Kapturek!
— Wejdź, kochanie! — odpowiedział wilk.

– Ach, babciu! – zawołał Czerwony Kapturek, gdy zbliżył się do łóżka. – Dlaczego masz takie wielkie oczy?

– Żeby cię lepiej widzieć! – odpowiedział oszust.

– Ojej, babciu! – pytał dalej zdumiony Czerwony Kapturek. – Dlaczego masz takie wielkie uszy?

– Żeby cię lepiej słyszeć – warknął zwierz.

Dziewczynka pomyślała, że coś tu jest nie w porządku...

– O rety, babciu! A dlaczego masz takie wielkie zęby? – zapytała raz jeszcze zalękniona.

– Żeby cię szybko ZJEŚĆ! – zaryczał wilk i wyskoczył z łóżka, próbując złapać wystraszonego Czerwonego Kapturka w swoje długie łapy.

Przerażona dziewczynka zaczęła krzyczeć, a babcia głośno biła pięściami w drzwi szafy, w której była zamknięta. Zwierz znowu zaryczał, pewny smacznego kąska. Nie wiedział, że wołanie o pomoc usłyszeli drwale, którzy pracowali w pobliżu.

Dzielni mężczyźni szybko rozprawili się z wilkiem. Kiedy wszystko ucichło, Czerwony Kapturek usłyszał głośne stukanie dochodzące z szafy. Gdy okazało się, że w środku jest babcia, cała i zdrowa, radości nie było końca!

ŚNIEŻKA

Za siedmioma górami, za siedmioma rzekami, w wielkim zamku żyła kiedyś piękna królewna o śnieżnobiałej cerze, nazywana Śnieżką. Dziewczyna byłaby szczęśliwa, gdyby nie zazdrosna o jej urodę macocha, która ciągle jej dokuczała. Wreszcie zła królowa postanowiła pozbyć się pasierbicy.

Gdy królewna beztrosko bawiła się na pałacowym dziedzińcu, macocha wezwała do swej komnaty myśliwego i rozkazała mu zaprowadzić Śnieżkę do lasu i tam ją zabić. Myśliwy błagał o litość dla dziewczyny, ale zła królowa zagroziła, że jeśli nie wykona on rozkazu, sam zginie.

Myśliwy zaprowadził Śnieżkę do lasu, tam jednak zlitował się nad nią i uwolnił ją.

– Nie mam serca wyrządzić ci krzywdy, śliczna królewno. Uciekaj i ukryj się w miejscu, gdzie macocha nigdy cię nie znajdzie – powiedział.

Śnieżka spędziła noc w lesie, płacząc z rozpaczy i przerażenia.

Nad ranem ujrzała na polanie maleńki domek. Zapukała do drzwi i choć nie usłyszała odpowiedzi, weszła do środka.

Wewnątrz chatki wszystko było bardzo malutkie i panował nieład. Śnieżka posprzątała, a potem zmęczona usnęła. Gdy się obudziła, wpatrywało się w nią siedem par zachwyconych oczu.

Były to krasnoludki, które wróciły z pracy w kopalni diamentów. Usłyszawszy historię dziewczyny, zapewniły ją, że może zostać z nimi tak długo, jak tylko zechce. Królewna bardzo się ucieszyła.

Aby odwdzięczyć się krasnalom za gościnę,
sprzątała ich malutki domek i przyozdabiała go
kwiatami, które dostawała od swoich małych
przyjaciół. Gotowała także pyszne posiłki i piekła
ciasteczka.

Tymczasem macocha była zadowolona, że pozbyła się Śnieżki. Jej radość nie trwała jednak długo. Pewnego dnia zapytała swego magicznego zwierciadła:

– Lustereczko, powiedz przecie, kto jest najpiękniejszy na świecie?

Kiedy zobaczyła w zwierciadle uśmiechniętą twarz królewny, mieszkającej w chatce krasnoludków, wpadła we wściekłość. Za pomocą księgi czarów sporządziła zatrute jabłko, którym postanowiła podstępnie otruć pasierbicę.

Przebrała się za starą handlarkę, podążyła do leśnego domku i ofiarowała Śnieżce zatruty owoc. Ufna dziewczyna ugryzła soczyste jabłko i upadła na ziemię. Gdy krasnoludki wróciły do domu z kopalni diamentów, długo płakały, myśląc, że królewna nie żyje. Zaniosły ją na polanę i delikatnie ułożyły na trawie.

Pewnego razu Śnieżkę ujrzał przejeżdżający tamtędy książę. Urzekła go jej uroda, zapytał więc krasnoludków, kim jest ta piękna dziewczyna, a one opowiedziały mu jej smutną historię. Wzruszony książę podszedł do królewny i chcąc ją pocałować, lekko ją uniósł. Wtedy z jej ust wypadł kawałek zatrutego jabłka.

Śnieżka otworzyła oczy i uśmiechnęła się do wybawcy. Zakochali się w sobie od pierwszego wejrzenia i wkrótce odbył się wspaniały ślub. Gdy dowiedziała się o tym zła królowa, potłukła zaczarowane zwierciadło i ze złości zamieniła się w ropuchę.

Państwo młodzi odjechali na koniu do książęcego zamku. Żyli długo i szczęśliwie.

CUDOWNA LAMPA ALADYNA

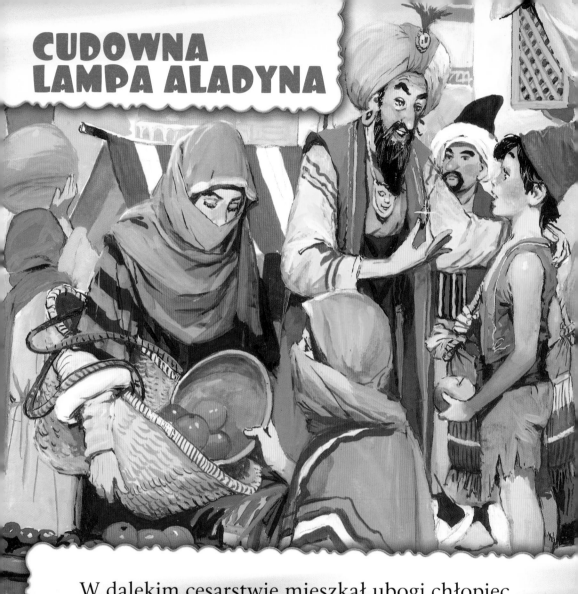

   W dalekim cesarstwie mieszkał ubogi chłopiec
o imieniu Aladyn. Pewnego razu spotkał on na targu
nieznajomego, który powiedział, że jest jego krewnym
i chce zastąpić mu zmarłego ojca. W rzeczywistości
był to zły czarownik, który starał się przypodobać
chłopcu, ponieważ ten mógł mu pomóc w wykonaniu
podstępnego planu.

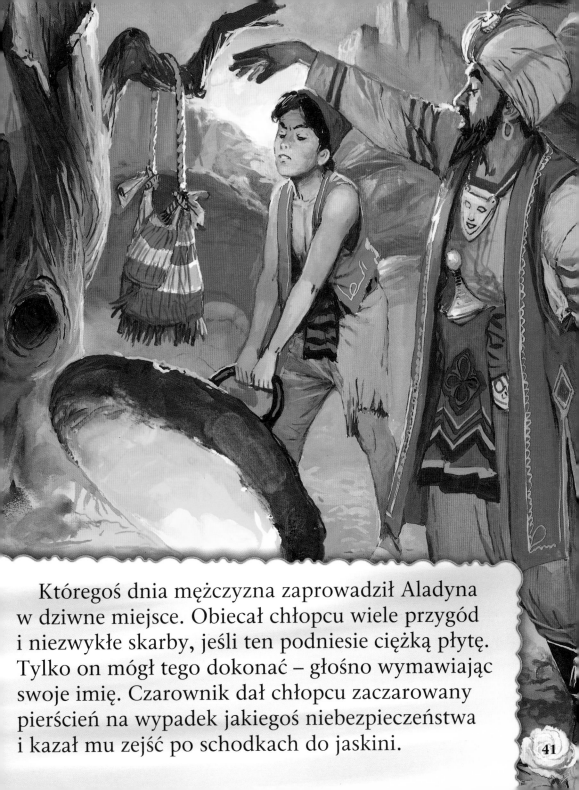

Któregoś dnia mężczyzna zaprowadził Aladyna
w dziwne miejsce. Obiecał chłopcu wiele przygód
i niezwykłe skarby, jeśli ten podniesie ciężką płytę.
Tylko on mógł tego dokonać – głośno wymawiając
swoje imię. Czarownik dał chłopcu zaczarowany
pierścień na wypadek jakiegoś niebezpieczeństwa
i kazał mu zejść po schodkach do jaskini.

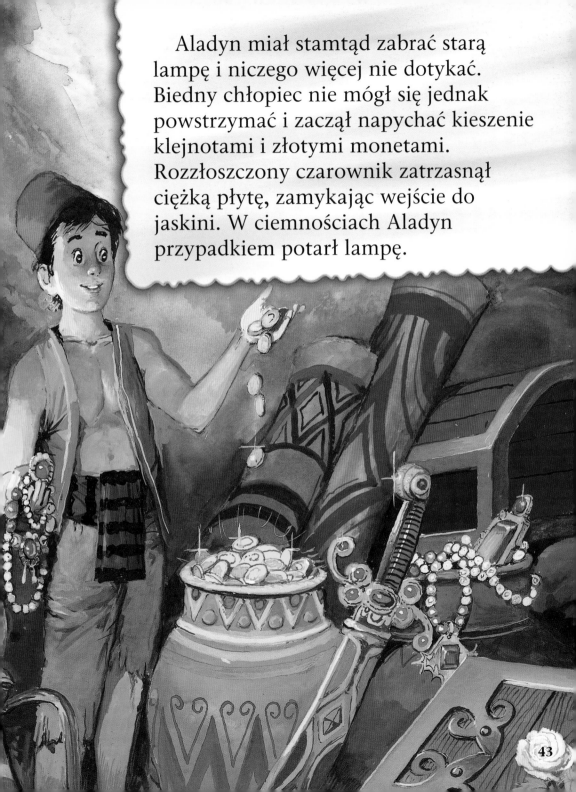

Aladyn miał stamtąd zabrać starą lampę i niczego więcej nie dotykać. Biedny chłopiec nie mógł się jednak powstrzymać i zaczął napychać kieszenie klejnotami i złotymi monetami. Rozzłoszczony czarownik zatrzasnął ciężką płytę, zamykając wejście do jaskini. W ciemnościach Aladyn przypadkiem potarł lampę.

Nagle w blasku i dymie ukazał mu
się dżinn. Jego obowiązkiem było
służyć właścicielowi lampy. Chłopiec
mógł więc dzięki jego pomocy spełnić
swoje marzenia. Rozkazał dżinnowi,
by uwolnił go z jaskini i przeniósł
skarby do ubogiego domu.

Aladyn zabrał ze sobą również czarodziejską lampę.

– Popatrz, mamo! – powiedział. – To magiczna lampa. Odtąd niczego nie będzie nam brakowało.

Życie Aladyna odmieniło się. Chłopiec nosił piękne stroje i jadł wykwintne potrawy.

Zapragnął zdobyć jeszcze coś, o czym nie mógł dotąd
nawet marzyć – miłość i rękę ślicznej księżniczki Badr-el-
-Budur. Władca chętnie zgodził się oddać młodzieńcowi
swą córkę za żonę. Nikt bowiem nie mógł teraz dorównać
bogactwem Aladynowi.

Aladyn postanowił podarować swojej żonie niezwykły prezent. Wezwał więc dżinna i kazał mu wybudować dla księżniczki wspaniały pałac.

W mgnieniu oka na zielonych wzgórzach stanęła budowla, jakiej nikt dotąd nie widział. Młoda para zamieszkała w nowym pałacu.

Tymczasem zły czarownik nie zapomniał o swoich planach. W przebraniu handlarza zjawił się przed obliczem księżniczki i oświadczył, że wymienia stare lampy na nowe. Dziewczyna pomyślała, że to wspaniała okazja i zdecydowała się na zamianę. Gdy tylko czarownik dostał lampę, przy pomocy dżinna porwał pałac i Badr-el-Budur.

Jak straszna była
rozpacz Aladyna!
Natychmiast
wskoczył na
konia i pojechał
na poszukiwanie
ukochanej.

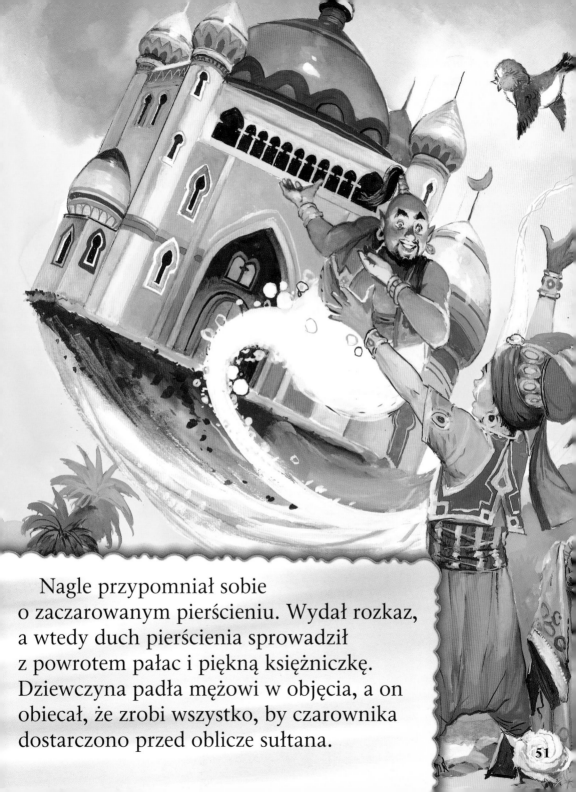

Nagle przypomniał sobie
o zaczarowanym pierścieniu. Wydał rozkaz,
a wtedy duch pierścienia sprowadził
z powrotem pałac i piękną księżniczkę.
Dziewczyna padła mężowi w objęcia, a on
obiecał, że zrobi wszystko, by czarownika
dostarczono przed oblicze sułtana.

Kiedy straże przyprowadziły złego czarownika skutego w kajdany, sułtan kazał zamknąć go w podziemnym lochu i nigdy nie wypuszczać. Odebrano mu czarodziejską lampę i wtrącono do więzienia. W cesarstwie zapanowała wielka radość.

Aladyn uwolnił ducha cudownej lampy. Szczęśliwy dżinn obiecał jednak, że zjawi się, kiedy tylko zostanie wezwany. Młody sułtan i jego żona żyli długo i szczęśliwie, a za ich czasów poddani nigdy nie zaznali biedy.

JAŚ FASOLA

Na skraju wsi mieszkała biedna rodzina.
Po śmierci ojca warunki życia jeszcze się
pogorszyły. Jaś i jego mama często nie mieli
nic do jedzenia, przed głodem ratowało ich
mleko Krasuli, jedynej krowy, jaką posiadali.
Ubranie chłopca pokrywało się coraz to
nowymi łatami.

Zbliżała się zima, a matka nie miała nawet grosika na buty dla syna. Wreszcie wysłała go na targ, aby sprzedał Krasulę. U bram miasta Jaś spotkał dziwnego starca. Rzekł on do chłopca:

– Kupię twoją krowę. Nie mam pieniędzy, ale weź te oto tajemnicze ziarenka fasoli, a zdobędziesz więcej niż się spodziewasz.

Po tych słowach starzec wziął krowę i zniknął za bramami miasta. Jaś wrócił do domu z kilkoma ziarenkami.

– Z czego będziemy teraz żyli? Też mi tajemnicza fasola! – zdenerwowana mama wyrzuciła ziarenka przed dom.

Głodny Jaś długo nie mógł zasnąć. Następnego ranka, przetarłszy oczy, zobaczył przedziwny widok. Za oknem rosła fasola. Ale jaka ogromna! Wielka jak drzewo, po którym można się wspinać do nieba! Nie namyślając się długo, chłopiec wyskoczył z łóżka.

Zaczął wchodzić coraz wyżej po rozłożystych gałęziach. Liście zabezpieczały go przed upadkiem. Gdy był już bardzo wysoko, wśród chmur, zobaczył mury wspaniałego zamku.

Pobiegł w jego stronę i szybko znalazł się przed potężnymi wrotami. Wtedy zjawił się znajomy starzec. W jego obecności chłopiec poczuł się pewniej i popchnął ogromne drzwi, które otworzyły się lekko i bezszelestnie.

Szybko przebiegł zamkowy krużganek i znalazł się przed ciężką, czerwoną kotarą, zza której dochodziły dziwne odgłosy. Uchylił ją i zobaczył komnatę, w której przy suto zastawionym stole siedział straszliwy olbrzym i pożerał coraz to nowy kawał mięsiwa.

Na stole leżała góra złotych monet, siedziała kura znosząca złote jajka i stała złota harfa, z której płynęła upojna melodia. Gdy przejedzony wielkolud zasnął, chłopiec pochwycił sakiewkę pełną złota.

Kura znosząca złote jajka sama zeskoczyła ze stolika i zagdakała, by Jaś zabrał ją ze sobą. „Muszę wziąć także złotą harfę – pomyślał chłopiec. – Nigdy nie słyszałem tak pięknych melodii". Obładowany skarbami, cicho opuścił komnatę.

Jednak gdy tylko przebiegł przez zamkową bramę, usłyszał głośny ryk pędzącego olbrzyma. Ten już go dopadał, gdy znów pojawił się starzec. Czarodziejską laską zatrzymał wielkoluda. Jaś dobiegł do fasoli. Zaczął się szaleńczy zjazd po krętych pędach rośliny. Olbrzym nie dawał za wygraną i wciąż gonił chłopca.

Zbliżając się do ziemi, Jaś zaczął wołać mamę, by podała mu siekierę. Czarodziejska kura wylądowała na ziemi, worek z monetami upadł ciężko obok pnia fasoli, a tajemniczy starzec złapał wypuszczoną z rąk chłopca harfę. Jaś chwycił siekierę i rąbał nią pień fasoli.

Ogromna fasola łatwo dała się ściąć. Wielkolud był jeszcze wysoko, gdy roślina z łoskotem runęła na ziemię obok stawu. Olbrzym zniknął w głębokiej wodzie.

Odtąd chłopca nazywano Jasiem Fasolą, bo to dzięki ziarenkom fasoli on i jego mama mogli żyć w dostatku. Harfa słodką muzyką umilała im czas, a kura znosząca złote jajka dumnie spacerowała po podwórku.

W pewnym królestwie pojawił się olbrzym, który zabijał wszystkie żywe stworzenia. W miasteczkach pokazywano jego wizerunek i szukano śmiałka, który stanąłby z nim do walki.

W pobliskim domu
pracował mały krawczyk.
Dokuczały mu muchy, więc
energicznie zamierzył się na
nie packą.

– Zabiłem całą siódemkę!
– wykrzyknął głośno.

Zdziwieni mieszczanie popatrzyli z szacunkiem na dzielnego krawczyka, który pokonał na raz siedmiu wrogów.

Wieść o pokonaniu siedmiu przeciwników szybko dotarła do króla, który rozkazał wezwać dzielnego krawczyka.

Przed obliczem króla i królewny młodzieniec potwierdził swój wyczyn. Król obiecał mu wspaniałą nagrodę, jeśli uwolni kraj od groźnego olbrzyma.

Cały królewski dwór żegnał krawczyka, który samotnie szedł na wyprawę przeciwko groźnemu wrogowi. Nie miał zbroi ani miecza. Za pas zatknął tylko duże, ostre nożyce krawieckie, a w kieszenie włożył kilka szpulek mocnych nici.

Wkrótce napotkał na swej drodze olbrzyma, który wyrywał drzewa z korzeniami i rozdeptywał największe głazy. Zwierzęta i ptaki uciekały przed nim w popłochu. Także krawczyk rzucił się do ucieczki.

Olbrzym jednak zauważył krawczyka i natychmiast go pochwycił. Był tak wielki i silny, że trzymał młodzieńca w dwóch palcach, jak źdźbło trawy. Już miał go udusić, gdy nagle...

Odważny młodzieniec
błyskawicznie wyciągnął
nożyce i z całej siły ukłuł
wielkoluda w wielki,
bulwiasty nos.

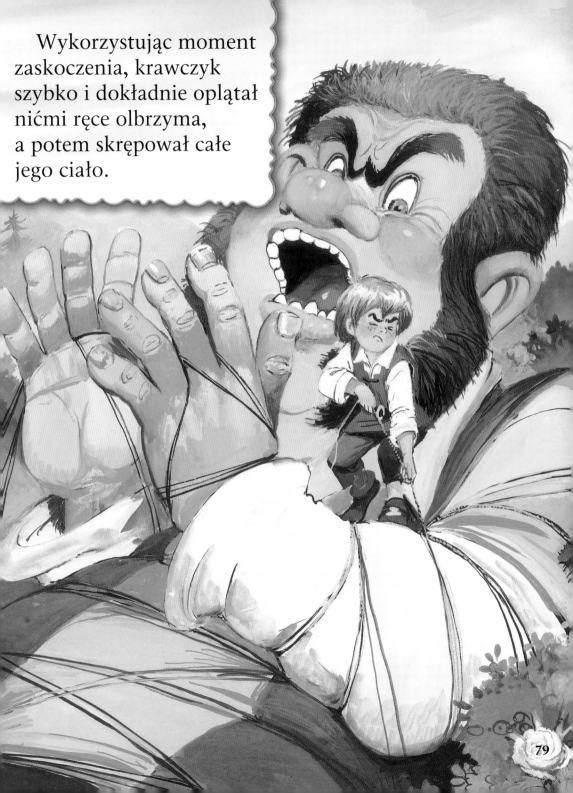

Wykorzystując moment zaskoczenia, krawczyk szybko i dokładnie oplątał nićmi ręce olbrzyma, a potem skrępował całe jego ciało.

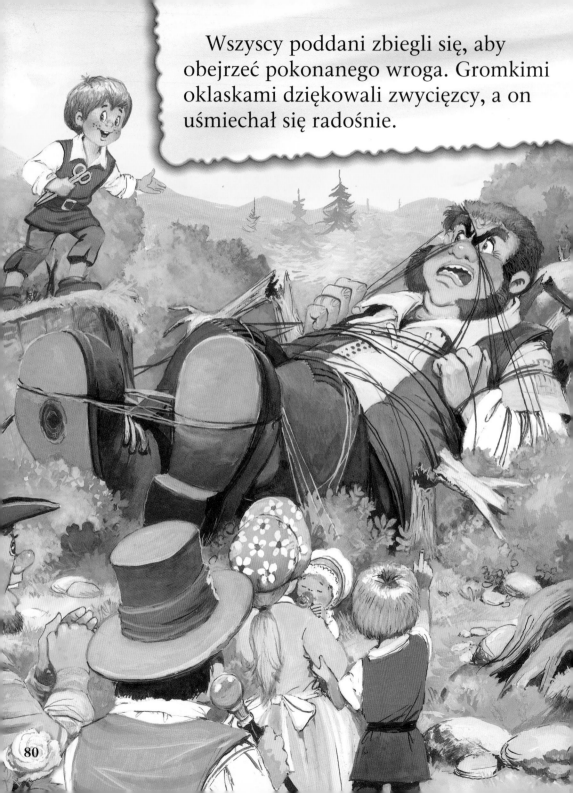

Wszyscy poddani zbiegli się, aby obejrzeć pokonanego wroga. Gromkimi oklaskami dziękowali zwycięzcy, a on uśmiechał się radośnie.

Bohaterski krawczyk otrzymał w nagrodę pół królestwa i pojął za żonę śliczną królewnę. Odtąd żyli bezpiecznie i szczęśliwie.

KSIĄŻĘ ŻABA

W pewnym królestwie żył mądry i sprawiedliwy król. Miał córkę, która niczym się nie interesowała i nieustannie się nudziła, mimo iż jej pokój wypełniony był lalkami z całego świata.

Pewnego dnia siedziała
w pałacowym ogrodzie z ulubioną
złotą kulą na kolanach. Nagle
kula stoczyła się prosto do wody.
Księżniczka bezradnie rozejrzała się
wokół, szukając pomocy.

Wtedy wielka żaba wydobyła
z wody zatopioną kulę i oddała
królewnie, ale w zamian za pewną
obietnicę. Królewna chwyciła kulę
i uciekła co sił. Nie chciała, aby żaba
jadła z jej talerza, piła z jej kieliszka
i spała w jej łóżku. A to właśnie
musiała żabie obiecać!

Księżniczka szybko zapomniała o przygodzie ze złotą kulą i obietnicy. Wieczorem, podczas kolacji, zdziwiła się, gdy do stołu przyszedł kamerdyner i oznajmił, że przy ogrodowej bramie pałacu czeka na nią dziwny gość.

Na pałacowych schodach
siedziała żaba. Księżniczka
próbowała ją przepędzić, ale
żaba zażądała, by pozwolono
jej stawić się przed królem.

Żaba rozparła się wygodnie na stołku wyściełanym aksamitną poduszką i skrzeczącym głosem opowiadała królowi o przygodzie ze złotą kulą. Księżniczka słuchała tego z gniewem.

Król był bardzo strapiony, że jego córka nie dotrzymuje swoich obietnic.

Wiedział, że nie może tego pochwalać.

Po długim namyśle król rozstrzygnął problem: żaba zamieszka w pałacu, a dziewczyna wypełni jej wolę.

Zasmucona królewna z pokorą przyjęła sprawiedliwą decyzję, by żaba jadła z jej talerza i piła z jej kieliszka.

Po hucznej uczcie księżniczka niechętnie udała się wraz z zaczarowaną żabą do sypialni. Na łóżku wymościła wygodne posłanie z aksamitnych poduszek dla swojego gościa.

– Pocałuj mnie na dobranoc – poprosiła żaba.
Dziewczyna długo się wzbraniała, ale
w końcu pocałowała żabę w zielony pyszczek.
Wtedy w komnacie zabłysło i żaba zamieniła
się w młodego królewicza.

Odzyskał on ludzką postać dzięki temu, że księżniczka, spełniając obietnice i całując go, zniszczyła zaklęcie czarownicy.

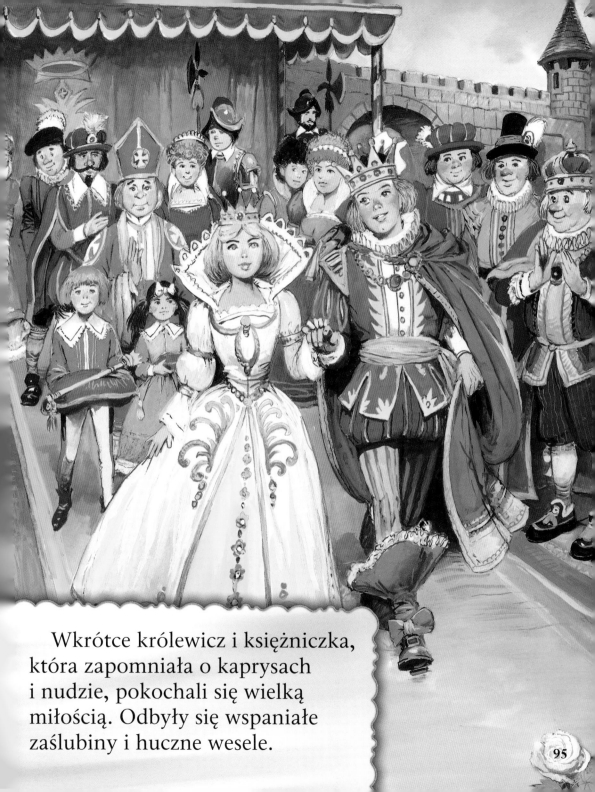

Wkrótce królewicz i księżniczka, która zapomniała o kaprysach i nudzie, pokochali się wielką miłością. Odbyły się wspaniałe zaślubiny i huczne wesele.

KSIĘŻNICZKA NA ZIARNKU GROCHU

Młody książę powrócił do rodzinnego zamku po długiej podróży. Przez wiele miesięcy odwiedzał okoliczne królestwa. Jego rodzice chcieli bowiem, aby znalazł tam kandydatkę na żonę.

W zamku całymi dniami
przesiadywał w swojej komnacie.
Grał na lutni i rozmyślał.
Zachowanie młodzieńca bardzo
martwiło jego rodziców.

Wreszcie zapytali syna o przyczynę
smutku. Książę wyznał, że żadna
z poznanych w czasie podróży
księżniczek nie była dość piękna
i mądra, aby ją pojąć za żonę.

Pewnej nocy do zamku
przybyła przemoknięta
i zziębnięta dziewczyna,
która poprosiła
o widzenie z królem.

Natychmiast zachwyciła wszystkich swoją urodą i obyciem. Wyznała także królewskiej parze, że jest księżniczką z dalekiego kraju. Królowa jednak postanowiła sprawdzić, czy gość mówi prawdę.

Powstało najwygodniejsze
i najprzytulniejsze posłanie, jakie można
sobie wymarzyć. A kiedy to wspaniałe,
miękkie łoże było już przygotowane,
królowa nakazała dwórce, aby pod leżący
najniżej materac włożyła ziarnko grochu.

„Tylko prawdziwa królewna poczuje ucisk ziarenka, śpiąc na tylu materacach" – pomyślała.

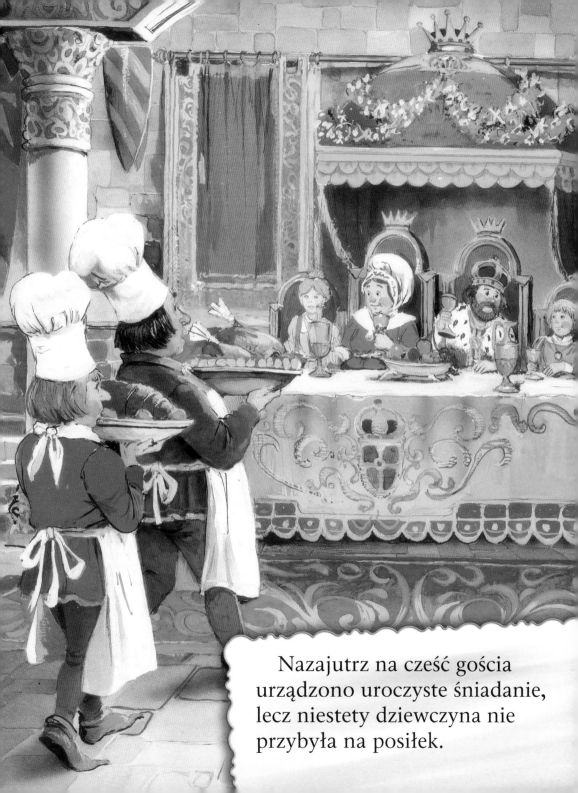

Nazajutrz na cześć gościa urządzono uroczyste śniadanie, lecz niestety dziewczyna nie przybyła na posiłek.

Zaniepokojona królowa zastała ją w komnacie ziewającą z niewyspania. Młoda cudzoziemka narzekała na niewygodne posłanie, a powodem skarg było ziarnko grochu, które znalazła pod dwudziestoma materacami.

Królowa przekonała się, że ma przed sobą królewskie dziecko. Tylko księżniczka mogła mieć ciało tak wrażliwe, by poczuć nieznośny ucisk maleńkiego ziarnka grochu.

Matka wezwała młodzieńca i z radością obwieściła mu, że nocny gość jest z pewnością królewską córką. Zatem nic nie stało na przeszkodzie, aby książę poprosił dziewczynę o rękę.

Wkrótce wyprawiono huczne
wesele, na które przybyły
tłumy gości. Ziarnko grochu
umieszczono pod kryształowym
kloszem.

O RYBAKU I ZŁOTEJ RYBCE

Nad brzegiem morza mieszkał stary rybak z żoną. Żyli w biedzie. Ich chata była zniszczona i zaniedbana. Stary rybak codziennie rano wychodził z wędką nad morski brzeg, by złowić parę drobnych rybek.

Pewnego dnia biedny rybak złowił piękną złotą rybkę. Nigdy takiej nie widział.

– Proszę, daruj mi wolność, a spełnię twoje trzy życzenia – przemówiła rybka ludzkim głosem.

Rybak wypuścił ją do wody, ale nie oczekiwał wdzięczności, nie zależało mu na bogactwach ani zaszczytach. Uważał po prostu, że niezwykła rybka powinna być wolna.

Gdy rybak wrócił do domu z pustymi rękami, zła żona zrobiła mu awanturę. Rybak wytłumaczył jej, co go spotkało. Chociaż małżonka mu nie dowierzała, poleciła przedstawić rybce pierwsze życzenie.

Staruszek poszedł nad morze i wezwał złotą rybkę. Powiedział jej, że żona zapragnęła nowego cebrzyka do prania. Rybka przyrzekła spełnić zaraz to życzenie. Po powrocie rybak zobaczył na środku izby przepiękny nowy cebrzyk.

Zdumiona żona przekonała się o czarodziejskiej mocy złotej rybki.

Cebrzyk do prania nie wystarczył jednak żonie rybaka.

Krzyczała bardzo głośno, wygrażała patelnią i domagała się, aby jej mąż biegł co tchu do złotej rybki i zażądał od niej pięknego domu, który miał stanąć w miejsce ich ubogiej chatki.

Stary rybak powędrował nad morze. Był bardzo zawstydzony zachłannością swojej żony. Wezwał jednak złotą rybkę i przedstawił jej drugie życzenie.

Tymczasem nowy, wygodny dom wcale nie zadowolił żony. Hałaśliwie domagała się pałacu godnego królowej. Zmusiła rybaka, aby poprosił rybkę o spełnienie trzeciego życzenia.

119

Rybka wysłuchała także tej prośby. Gdy rybak wrócił znad morza, chciwa żona siedziała na tronie w otoczeniu dworskich dostojników. Dla rybaka nie było tu miejsca. Rozkazano mu, aby czym prędzej wyniósł się z pałacu.

Strażnicy przy pałacowej
bramie przepędzili go, krzycząc,
aby nie śmiał więcej przekroczyć
progów wspaniałej budowli.
Poszturchiwali go przy tym
i wyśmiewali się z niego.

Załamany rybak powędrował na brzeg morza. Niegodziwość jego żony oburzyła złotą rybkę. Wzruszona ciężkim losem poczciwego staruszka, postanowiła wymierzyć sprawiedliwość. Tak się też stało.

Zniknął przepyszny pałac i znów wszystko było jak dawniej. Każdego ranka rybak udawał się nad morze, aby łowić ryby, a w chatce krzątała się jego żona.

PANI ZIMA

Dawno temu w pewnej wsi,
w bogatej chacie żyła kobieta z córką
i pasierbicą-sierotą. Pasierbica całe dnie
ciężko pracowała. Córka wieśniaczki
– leniwa i zła – wyrządzała wszystkim
psoty. Pewnego dnia wrzuciła do studni
motek nici, nad którym długo trudziła
się pasierbica.

Biedna sierota, obawiając się gniewu macochy i żałując pięknej przędzy, postanowiła zejść na dno studni. Tam ujrzała tajemnicze drzwi.

Otworzyła je i nagle znalazła się w zaczarowanym świecie. Była na górskiej łące, wśród traw, kwiatów i drzew.

Wędrując po malowniczej okolicy, zobaczyła wielki, rozpalony piec chlebowy. Bochny chleba piszczały z upału i prosiły przechodzącą dziewczynkę, by je powyjmowała. Sierota wyjęła bochny, ratując je przed spaleniem.

Nieopodal ujrzała olbrzymią jabłoń. Jej gałęzie uginały się pod ciężarem dorodnych jabłek. Jabłoń poprosiła dziewczynkę, aby uwolniła ją od ciężaru owoców i zerwała jabłka. Ta w mig spełniła tę prośbę.

Im dalej w głąb czarodziejskiej
krainy szła dziewczynka, tym robiło
się zimniej. W końcu dotarła na wielką
leśną polanę zasypaną śniegiem.
Stał tam piękny dom. Dziewczynka,
strudzona długą wędrówką, zapukała
do drzwi i weszła do środka,
by poprosić o gościnę.

W wielkiej i ciepłej, ogrzanej ogniem
z kominka izbie siedziała wesoła staruszka.
Miło powitała dziewczynkę i zaproponowała,
aby pozostała w jej domu na służbie.
Miała dbać o psa i kota oraz sprzątać dom.
Najważniejszym jej obowiązkiem było
codzienne trzepanie poduszek.

Staruszka z czarodziejskiej krainy była Panią Zimą. Pierze z jej poduszek spadało na pola, lasy i gospodarstwa jako gęsty, biały śnieg. Staruszka była zadowolona z pogodnej i pracowitej pomocnicy.

Gdy po roku służby dziewczyna postanowiła wrócić do macochy, Pani Zima kazała jej stanąć pod okapem i nadstawić fartuszek. Wypowiedziała zaklęcie i do fartuszka posypały się złote monety.

Była to zapłata za wierną służbę. Macocha
i zła córka bardzo się zdziwiły, gdy zobaczyły na
podwórku uśmiechniętą sierotkę z fartuszkiem
pełnym złotych monet. Dowiedziały się, jak
zdobyła takie bogactwo i postanowiły, że niedobra
córka uda się również na służbę do Pani Zimy.

Wskoczyła więc do studni i udała się do domu staruszki. Pani Zima przyjęła ją na służbę, ale leniwej dziewczynie nie chciało się pracować.

Gdy minął rok służby, staruszka wyprowadziła dziewczynę przed ganek. Kazała jej stanąć pod słomianym okapem i wypowiedziała zaklęcie. Z dachu zamiast złota spadła gęsta, czarna smoła i posypały się grudy śniegu.

Zawstydzona dziewczyna wróciła do domu. Zrozumiała, że postępowała niegodziwie. Przeprosiła sierotę za złe uczynki, a ona wybaczyła jej i podzieliła się swoim bogactwem. Odtąd żyły już w zgodzie.

PIĘKNA I BESTIA

Dawno, dawno temu, w małym miasteczku mieszkał stary złotnik. Nieszczęścia sprawiły, że stracił cały swój majątek. W trudnych chwilach pomagała mu córka, którą mieszkańcy nazywali Piękną. Niestety jej pomoc nie wystarczyła.

Gdy przyszła sroga zima, w domu zaczęło brakować jedzenia i opału. Złotnik wyruszył w drogę, by sprzedać ostatnie rodzinne pamiątki. Niestety zabłądził wśród szalejącej zamieci. Nagle ujrzał zarys murów wielkiego zamczyska.

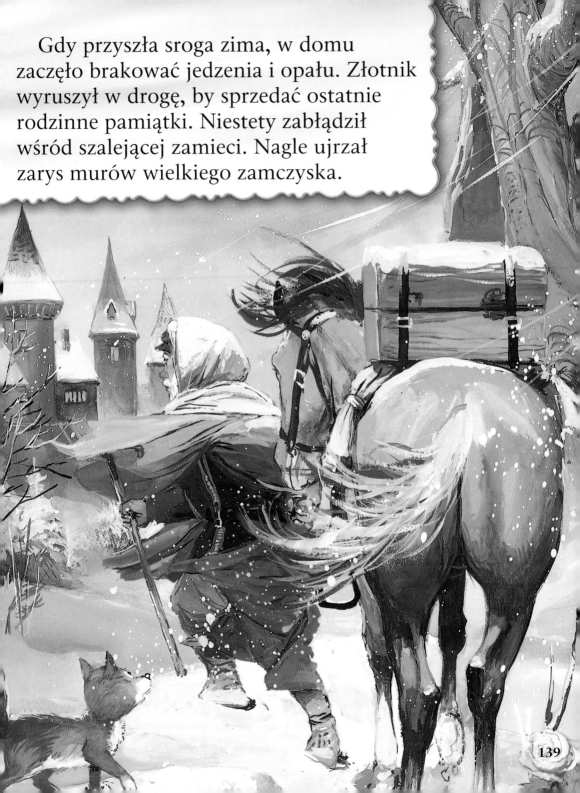

Dotarł do bram zamku. Drzwi otworzyła
mu służąca. Dostał suche ubranie i ciepły
posiłek, przygotowano mu także posłanie,
aby mógł spędzić bezpiecznie noc.
Następnego ranka wypoczęty złotnik chciał
podziękować za wspaniałą gościnę. Nikogo
jednak nie spotkał.

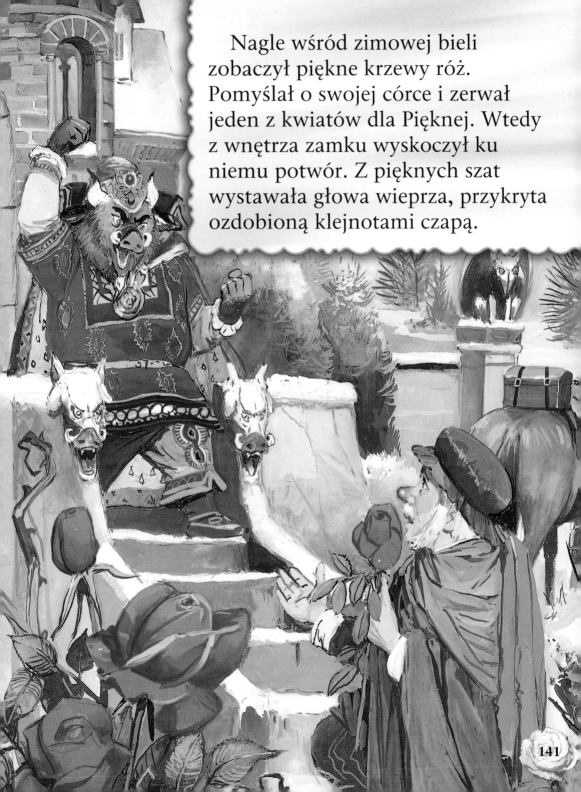

Nagle wśród zimowej bieli zobaczył piękne krzewy róż. Pomyślał o swojej córce i zerwał jeden z kwiatów dla Pięknej. Wtedy z wnętrza zamku wyskoczył ku niemu potwór. Z pięknych szat wystawała głowa wieprza, przykryta ozdobioną klejnotami czapą.

Potwór nakazał złotnikowi, aby ten oddał mu to, co ma najcenniejszego. Starzec padł na kolana, błagając o litość.

– Mam tylko starą chałupę i jedyną ukochaną córkę! – tłumaczył.

– Za kradzież róży oddasz córkę – usłyszał przerażony. – Przyprowadź ją natychmiast!

Po powrocie
do domu złotnik
opowiedział córce
o tym, co go spotkało,
a ona zgodziła się,
by zaprowadził ją do
zamku Bestii.

Wkrótce Piękna znalazła się w ponurych komnatach. Podczas częstych wizyt starała się być miła i nie okazywać obrzydzenia na widok Bestii.

Długie zimowe wieczory spędzała w salonie, zabawiając Bestię głośnym czytaniem i śpiewaniem. Kiedy okazało się, że potwór potrafi grać na wielu instrumentach – zaczęły się wspólne koncerty.

Któregoś dnia nadszedł list. Okazało się,
że złotnik jest ciężko chory i nie ma przy nim
nikogo, kto mógłby mu pomóc. Czytając przykrą
wiadomość, Piękna rozpaczliwie płakała. Bestia
nie mogła znieść łez dziewczyny i pozwoliła jej
opuścić zamek.

Natychmiast zajechała kareta, a służba przygotowała wszystko do drogi. Piękna patrzyła na potwora z wdzięcznością.

– Wrócę, gdy tylko ojciec wyzdrowieje! – powiedziała, patrząc bez odrazy i strachu w smutne oczy Bestii.

Po powrocie córki stary złotnik powoli odzyskiwał zdrowie. Piękna opiekowała się nim najlepiej, jak potrafiła. Sama jej obecność dodawała mu sił. Dziewczyna musiała jednak dotrzymać danego potworowi słowa i wrócić do zamku.

Tam odnalazła Bestię leżącą wśród kwiatów róż.

– Wróciłaś. Teraz już mogę umrzeć – wyszeptał potwór.

Na te słowa dziewczyna mocno go przytuliła i zapłakała ze wzruszenia. Zrozumiała, że kocha go całym sercem.

Kiedy łzy Pięknej spadły na Bestię, nagle w jej ramionach znalazł się przystojny królewicz, który powiedział:

– Twoja miłość uratowała mi życie i wyzwoliła ze złego czaru. Czy zechcesz zostać moją żoną?

Dziewczyna zgodziła się wyjść za królewicza, a potem oboje żyli długo i szczęśliwie.

SŁOWIK

Przed wiekami żył w Chinach
potężny cesarz. Gromadził on w swym
zamku najwspanialsze przedmioty
z całego świata. Ze wszystkich krańców
ziemi zjeżdżali się podróżni, aby
podziwiać bogactwa cesarskiego pałacu
i jego przepiękną okolicę.

W cesarskim ogrodzie, który był tak wielki, że nikt nie wiedział, gdzie się kończy, mieszkał słowik. Śpiewał tak pięknie, że rybacy wyruszający nocą na połów, słuchali go z zachwytem.

Gdy cesarz dowiedział się
o zdumiewającym ptaku, zażądał
stanowczo, aby słowik przybył
wieczorem do pałacu i zaśpiewał
przed cesarskim obliczem.

Zagroził też, że jeśli dworzanie
nie zdołają sprowadzić ptaka,
ukarze ich najwymyślniejszymi
torturami.

Żaden z dworzan nie wiedział
niestety, jak wygląda i gdzie
mieszka słowik.

Na szczęście służąca, która często słuchała jego śpiewu, zaprowadziła dworski orszak do cesarskich ogrodów i pokazała cudownego ptaka, siedzącego na gałęzi.

Marszałek nie mógł uwierzyć, że niepozorny ptaszek jest tym obdarzonym niezwykłym głosem słowikiem, o którym pisze się w księgach. Jednak gdy usłyszał jego śpiew, natychmiast zaprosił go do cesarskiego pałacu.

Cały dwór zebrał się w największej sali. Wszyscy przyglądali się małemu, szaremu ptakowi. A słowik zaśpiewał tak pięknie, że cesarzowi łzy napłynęły do oczu. Słowiczy śpiew przeniknął do jego serca.

Słowik wzbudził zachwyt dworu. Każdego dnia koncertował przed cesarzem, który słuchał jego pieśni z największą radością i mówił, że słodki głos słowika ma czarodziejską moc.

Postanowiono, że niezwykły ptak pozostanie na zawsze przy carskim dworze. Gdy wyfruwał na spacer, służący trzymali jedwabne wstążki, które przywiązane były do słowiczej nóżki.

Pewnego dnia cesarz otrzymał
w darze sztucznego słowika. Była to
zabawka wysadzana drogocennymi
kamieniami. Gdy nakręciło się
mechanizm, sztuczny słowik śpiewał te
same piosenki co prawdziwy.

Dwór cesarski był zachwycony i wszyscy zapomnieli o szarym i niepozornym, żywym słowiku. Wyfrunął on więc przez okno i ukrył się w ogrodzie. Nikt nie przejął się jego zniknięciem.

Gdy cesarz zachorował, sztuczny słowik śpiewał całymi dniami przy jego łożu. W końcu jednak mechanizm popsuł się i nikt nie potrafił go naprawić. Cesarz pogrążył się w rozpaczy i był coraz bliższy śmierci.

Gdy te smutne wieści dotarły do prawdziwego słowika, przyleciał do pałacu i zaśpiewał umierającemu cesarzowi. A śpiewał tak długo i tak pięknie, że śmierć zrezygnowała z cesarskiego życia i wyniosła się gdzie indziej.

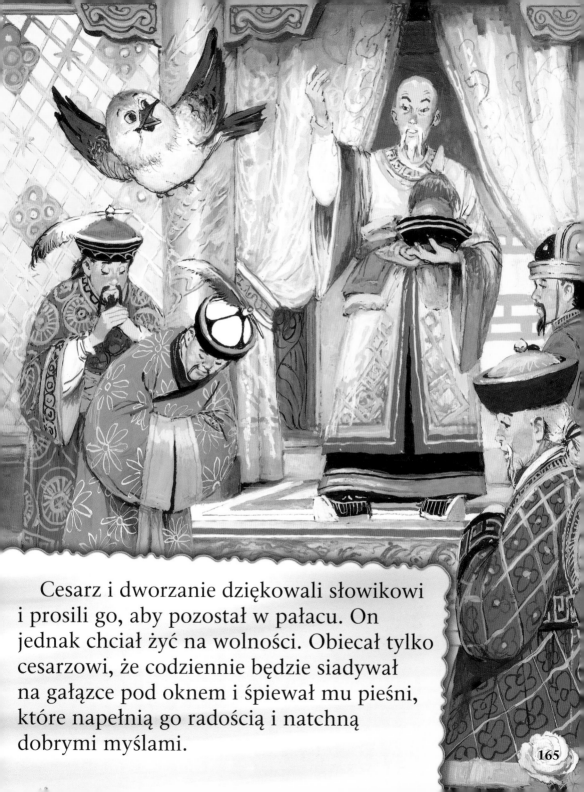

Cesarz i dworzanie dziękowali słowikowi i prosili go, aby pozostał w pałacu. On jednak chciał żyć na wolności. Obiecał tylko cesarzowi, że codziennie będzie siadywał na gałązce pod oknem i śpiewał mu pieśni, które napełnią go radością i natchną dobrymi myślami.

STOLICZKU, NAKRYJ SIĘ!

Pewien ubogi wieśniak wysłał w świat trzech synów, aby nauczyli się rzemiosła. Pierwszy z braci uczył się czytania i pisania u mądrej staruszki. Starał się tak pilnie, że na koniec nauki staruszka podarowała mu zaczarowanego osła. Gdy wypowiedziało się zaklęcie, osioł wypluwał złote monety.

Drugi z braci uczył się krawieckiego rzemiosła. Majster był bardzo z niego zadowolony i na zakończenie nauki podarował mu czarodziejski stolik. Gdy wypowiedziało się zaklęcie, na stoliku pojawiały się najsmaczniejsze potrawy.

Dwaj bracia wyruszyli w drogę do rodzinnego domu. Wędrując, dotarli do karczmy. Gospodarz zaprosił ich na wspaniały posiłek i odpoczynek.

Zachwalał świeże, pachnące i bardzo tanie potrawy
oraz grzeczną i sprawną obsługę. Bracia postanowili
jednak rozstawić przed gospodą własny czarodziejski
stolik, na którym pojawiła się wspaniała zastawa pełna
smakowitego jadła. Obok stał osioł i po usłyszeniu
czarodziejskiego zaklęcia wypluwał na talerz monety.

Widząc te dziwy, chciwy karczmarz zapałał zazdrością. Postanowił, że zdobędzie zaczarowane zwierzę i czarodziejski mebel.

Zły gospodarz uwięził w lochu obu braci. Ukrył stolik i przywiązał osła. Ponieważ podsłuchał zaklęcia, wiedział, jak uzyskać złoto od osła i jak nakryć czarodziejski stolik. Był bardzo zadowolony, że tak łatwo udało mu się zdobyć niezwykłe bogactwo.

Tymczasem najmłodszy z braci ukończył naukę u stolarza, który podarował mu czarodziejski kij. Gdy wypowiedziało się zaklęcie, kij bił bez wytchnienia wszystkich niegodziwych i złych ludzi.

Zadowolony z daru chłopiec pomaszerował do domu. Podczas wędrówki dotarł też do karczmy. Postanowił posilić się i odpocząć przed dalszą drogą.

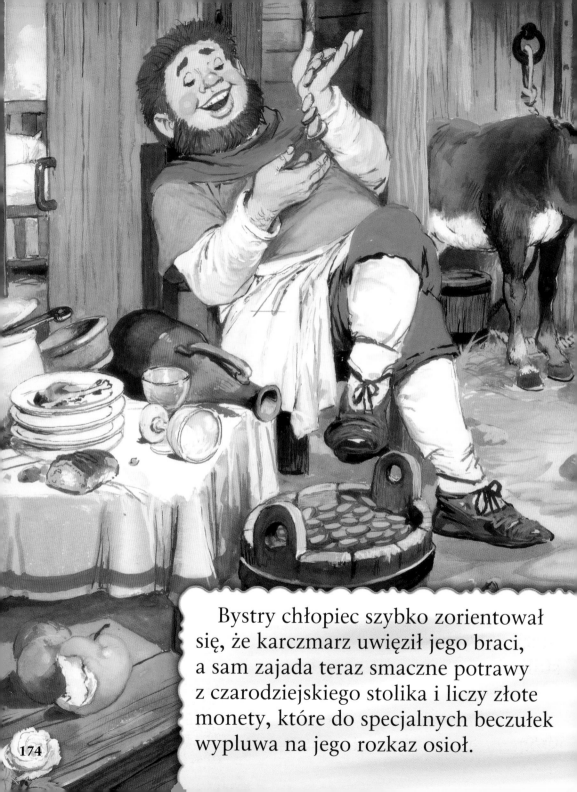

Bystry chłopiec szybko zorientował się, że karczmarz uwięził jego braci, a sam zajada teraz smaczne potrawy z czarodziejskiego stolika i liczy złote monety, które do specjalnych beczułek wypluwa na jego rozkaz osioł.

Chłopiec postanowił uwolnić braci, odzyskać zaczarowany stolik i czarodziejskiego osła oraz ukarać zachłannego na cudzą własność niegodziwca, który za nic miał uczciwość.

Wszedł do karczmy
i zaklęciem puścił
w ruch zaczarowany
kij. Pobity i przerażony
gospodarz uwolnił
braci i zwrócił im
stolik oraz osła.

Szczęśliwi bracia postanowili
podzielić się swoim bogactwem
z innymi ludźmi. Zaprosili wszystkich
biedaków z okolicy, nakarmili ich
i obdarowali złotem, które wypluwał
zaczarowany osioł.

W końcu, po długiej wędrówce, chłopcy dotarli do rodzinnej wioski. Tam zapanowała wielka radość. W domu braci każdy głodny został nakarmiony, a każdy potrzebujący obdarowany złotem. Czarodziejski stolik stał na honorowym miejscu, a osioł wypoczywał na aksamitnych poduszkach.

Przed domem trzech braci wiwatowali mieszkańcy wsi. Nikomu nie brakowało jadła, napoju ani pieniędzy. A wszystko to zawdzięczali trzem chłopcom, którzy uczciwą pracą i pilnością zasłużyli na niezwykłe dary.

ŚWINIOPAS

Dawno temu w małym, ale bogatym państwie żył młody książę. Kochał naukę i sztukę, był miłośnikiem kwiatów, zwierząt i ptaków. W swoim ogrodzie hodował piękną różę i cudnie śpiewającego słowika.

Książę zakochał się w księżniczce z sąsiedniego królestwa. By okazać swoje uczucia, ściął piękną różę i uwięził słowika. Włożył dary do szkatuły i rozkazał marszałkowi, aby zaniósł je księżniczce.

Marszałek wręczył
księżniczce szkatułę.
Dziewczyna wyśmiała
dary księcia. Uważała,
że naprawdę piękne są
tylko sztuczne kwiaty
i ptaki.

Gdy książę dowiedział się o tym, wpadł na sprytny pomysł. Przebrał się w szaty ubogiego wędrowca i udał się do sąsiedniego królestwa. Poprosił o zajęcie, a ponieważ był biednie ubrany, dano mu pracę świniopasa.

Codziennie karmił
tłuste świnie, uprzątał
ich zagrodę. W wolnych
chwilach robił
czarodziejski garnek
z dzwoneczkami.

Naczynie wydzwaniało skoczne melodie, a gdy się w nim gotowała woda, można było poczuć zapachy potraw, jakie przyrządzano w kuchniach królewskich.

Księżniczka natychmiast zapragnęła kupić ten garnek.
Świniopas zażądał jako zapłaty dziesięciu całusów.
Dziewczyna najpierw się oburzyła, ale potem uległa
i za zasłoną trzymaną przez dwórki dała świniopasowi
dziesięć całusów.

Wkrótce książę wystrugał czarodziejską fujarkę, na której można było zagrać każdą melodię.

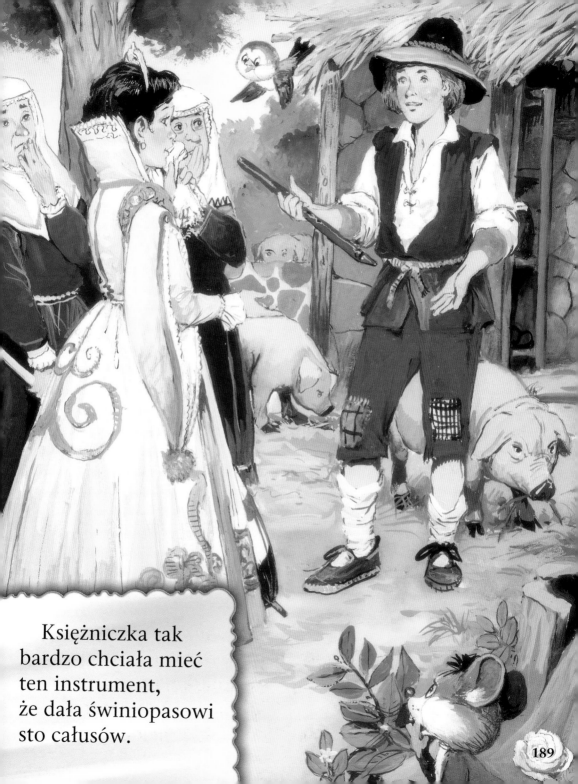

Księżniczka tak bardzo chciała mieć ten instrument, że dała świniopasowi sto całusów.

Gdy całowała świniopasa za zasłoną trzymaną
przez dwórki, ujrzał ich ojciec dziewczyny
i srodze się rozgniewał. Wypędził córkę z pałacu
i rozkazał, aby zamieszkała ze świniopasem
w jego chacie, koło świńskiej zagrody. Świniopas
zabrał księżniczkę do ubogiej chaty.

Ona zaś opierała się i zalewała łzami. Wychowana w zbytku i nieprzywykła do pracy, bała się, że nie podoła trudom surowego życia. Błagała o litość i zmianę rozkazu, ale ojciec nie dał się przekonać.

Księżniczka siedziała pośrodku chaty i płakała. Nagle oniemiała z zachwytu. Przed nią pojawił się świniopas przemieniony w pięknego księcia. Za chwilę jednak zniknął. Księżniczka długo go szukała, aż ujrzała go w oknie jego pałacu.

Wtedy zrozumiała, kim naprawdę był. Książę wypomniał jej, że odrzuciła dary serca, a płaciła całusami za niewiele warte zabawki. Nie chciał niemądrej żony, która nie umie docenić tego, co wartościowe i tak księżniczka została ukarana za próżność.

TRZY ŚWINKI

Na skraju ogromnego dębowego lasu żyły sobie trzy małe świnki. Miały wielu przyjaciół wśród ptaków, wiewiórek i zajączków. Życie płynęło im na beztroskich zabawach i spacerach. Zbliżała się jednak słotna jesień i mroźna zima – trzeba było zbudować jakieś schronienie.

Świnki, pomimo iż bardzo się kochały, postanowiły zbudować trzy domki, a każda miała zamieszkać we własnym. Najmłodsza świnka nie zamierzała się zbytnio męczyć. Z bambusowych żerdzi, powiązanych łykiem, zbudowała konstrukcję chaty. Ściany wypełniła trawą i patykami.

Nieco starsza świnka postanowiła zbudować solidniejszy domek. Zebrawszy trochę desek i belek, budowała drewnianą chatę. W całym lesie słychać było stukot młotka. Pomocne wiewiórki podawały upuszczone gwoździe. Gdy obydwa domki były gotowe, młodsze świnki odwiedziły najstarszego braciszka.

Z podziwem i zdumieniem przyglądały się, jak z wielkim wysiłkiem układa dachówki. Domek zbudował z cegieł i zaopatrzył w solidne, mocne drzwi. Z dachu wystawał obszerny komin.

– Po co się tak męczyć? – pytały świnki – Czy nie lepiej pobiegać po pełnej jeszcze kwiatów łące?

Zmęczone bieganiem i zabawami, świnki postanowiły odpocząć. Każda poszła do swojego domku.

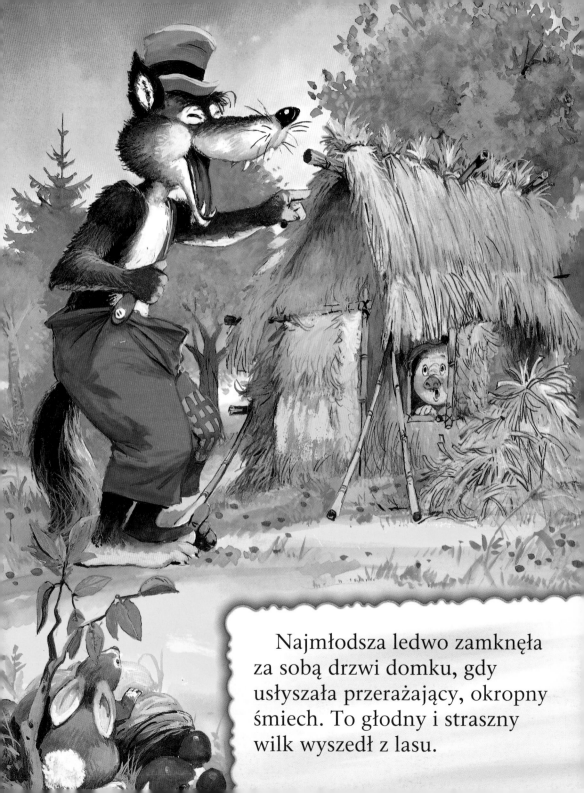

Najmłodsza ledwo zamknęła za sobą drzwi domku, gdy usłyszała przerażający, okropny śmiech. To głodny i straszny wilk wyszedł z lasu.

– Wystarczy dmuchnąć i ten lekki domek rozleci się! – cieszył się wilk i zacierał łapy z radości, że bez trudu uda mu się zdobyć kolację.

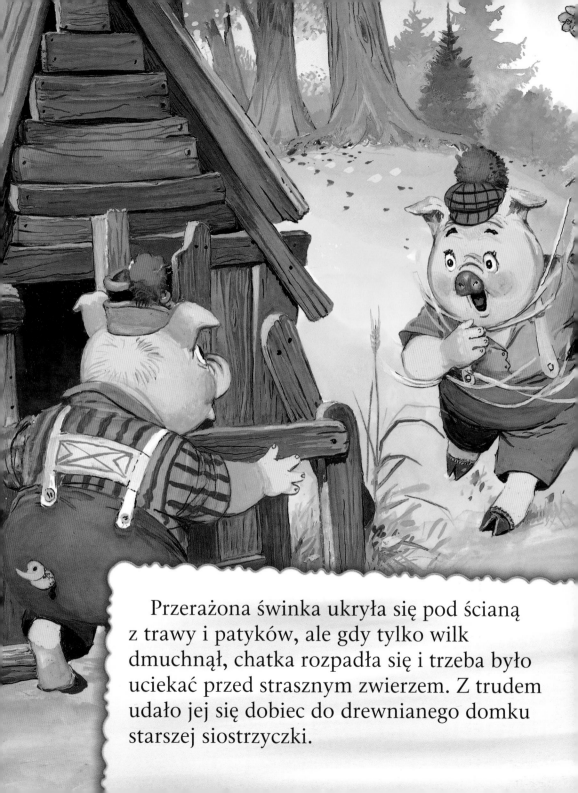

Przerażona świnka ukryła się pod ścianą
z trawy i patyków, ale gdy tylko wilk
dmuchnął, chatka rozpadła się i trzeba było
uciekać przed strasznym zwierzem. Z trudem
udało jej się dobiec do drewnianego domku
starszej siostrzyczki.

Jednak i ten drewniany domek rozpadł się, gdy tylko wilk dmuchnął potężnie. Deski fruwały wokół przestraszonych świnek. Wróbelek latał przerażony, a wiewiórka, skamieniała ze strachu, trzymała się spadającej z dachu deski.

Świnki ledwie uwolniły się spod zwałów desek i rzuciły się do ucieczki.

Zmęczony ciężką pracą prosiaczek czekał na rodzeństwo w progu, trzymając wielkie obcęgi, które miały odstraszyć wilka.

Szczęśliwie obie dopadły solidnych drzwi. Braciszek zatrzasnął je i zaryglował. Świnkom nakazał, by stale dokładały drew do kominka.

Wściekły i coraz bardziej głodny wilk próbował wyrwać kraty w oknie i rozwalić ściany. Dom był jednak solidny i bezpieczny.

Nagle zwierz zauważył drabinę, wspiął się po niej i zajrzał do komina. Wystraszone świnki usłyszały ciężkie stąpanie po dachu. W otworze kominka, nad płomieniem, zawisły wilcze łapy i ogon. Najstarszy prosiaczek nie stracił jednak zimnej krwi. Czekał na intruza przed kominkiem, trzymając w łapkach potężne obcęgi.

Cios obcęgami ostudził zamiary wilka. Poparzony zwierz, z osmalonym ogonem, wyjąc z bólu pognał przed siebie. Cały las trząsł się ze śmiechu, a świnki, tańcząc, świętowały zwycięstwo. Postanowiły odtąd zamieszkać razem w murowanym domku roztropnego braciszka.

ZŁOTOWŁOSA I TRZY MISIE

W głębi wielkiego lasu, pośród wspaniałych starych drzew, w królestwie dzikich zwierząt i ptaków, stała bielutka chatka. Mieszkały w niej trzy Misie: tata Miś, mama Misia i ich synek Misiaczek. Właśnie wybrały się na poranny spacer...

Przechodziła tamtędy dziewczynka
o pięknych jasnych włosach, nazywana
Złotowłosą. Mieszkała ona z rodzicami na
skraju wielkiego lasu i bardzo lubiła chodzić
na długie, samotne wędrówki. Myślała,
że poznała już każdy zakątek lasu, jednak
nigdy wcześniej nie widziała białej chatki.

– Kto tu może mieszkać – zastanawiała się Złotowłosa, otwierając drzwi.

Zaciekawiona zajrzała do środka. Zobaczyła przytulny, pełen pięknych przedmiotów pokój. Pośrodku stał starannie nakryty stół, a na nim wiele wspaniałych potraw.

Na bielutkim obrusie ustawione były koszyczki z chlebem i owocami oraz kubeczki i miseczki.

Złotowłosa po długim porannym spacerze była bardzo głodna. Nie namyślając sie wiele, usiadła przy stole i z wielkim apetytem zjadła miseczkę pysznej zupy.

211

Potem postanowiła odpocząć.
Usiadła na małym fotelu,
przy stole z kolorową lampą.
Jednak tak się na nim wierciła,
że fotelik rozpadł się na kawałki,
a dziewczynka znalazła się
znienacka na podłodze.

Po przykrej przygodzie z fotelikiem Złotowłosa zaczęła zwiedzać domek. Weszła do sypialni, w której stały trzy starannie zaścielone, pokryte kolorowymi narzutami łóżka. Dziewczynka, zmęczona długą wędrówką po lesie, postanowiła się zdrzemnąć.

Wypróbowała najpierw największe łóżko, ale było dla niej zbyt twarde. Łóżko środkowe wydało się Złotowłosej zbyt miękkie.

Położyła się więc na najmniejszym łóżeczku, które było bardzo wygodne, i smacznie usnęła.

Sny miała kolorowe i wesołe.
Tymczasem misie wróciły do
domu ze spaceru. Natychmiast
dostrzegły połamany fotelik.

Misiaczek zauważył także, że z jego miseczki zniknęła zupa. Z niepokojem zaczęto szukać po całym domu nieznanego łakomczucha. Wreszcie w sypialni Misie ujrzały śpiącą Złotowłosą. Ucieszyły się, że to nie jakiś groźny leśny rozbójnik, ale śliczna, sympatyczna dziewczynka.

Złotowłosa – obudzona znienacka – przestraszyła się, widząc obok siebie trzy włochate pyszczki. Wyskoczyła z łóżka i zaczęła uciekać. Bała się, że Misie mogą się na nią gniewać z powodu zjedzonej zupki i połamanego fotelika.

A wiedziała od rodziców, że z niedźwiedziami
nie ma żartów. Misie okazały się jednak
przyjazne i gościnne. Zaczęły uspokajać
Złotowłosą i zapewniać, że nic złego jej nie grozi.
Wcale sie na nią nie gniewały. Poprosiły także,
by z nimi została i wzięła udział w przyjęciu.

Rozpoczęła się wesoła zabawa. Mama Misia przygotowała wspaniały poczęstunek, a potem wszyscy wyszli przed chatkę, by nacieszyć się słońcem. Tata Miś podarował swojej żonie bukiet kwiatów, a Złotowłosa i Misiaczek tańczyli skoczne tańce.

Złotowłosa musiała jednak wreszcie wrócić do domu, gdzie czekali na nią rodzice. Smutno było dziewczynce rozstawać się z Misiami, z którymi tak szybko się zaprzyjaźniła. One także nie mogły się już doczekać następnego spotkania.

DZIELNY OŁOWIANY ŻOŁNIERZYK

Wśród wielu zabawek małego chłopca był ołowiany żołnierzyk. Miał tylko jedną nogę, gdyż odlano go na ostatku i nie starczyło już ołowiu. Trzymał broń na ramieniu i z zachwytem spoglądał na piękną tancerkę wyciętą z kolorowego papieru i tiulu.

Któregoś ranka chłopiec zaczął ustawiać zabawki na parapecie okna. W pewnej chwili złośliwy pajacyk, który także należał do zabawek chłopca, przewrócił żołnierzyka, a ten spadł na ulicę. Domownicy bez skutku wszędzie go szukali. On zaś spokojnie leżał między dwoma kamieniami.

Na drugi dzień, po strasznej ulewie, znaleźli go dwaj chłopcy. Zrobili z gazety łódeczkę i włożyli do niej zabawkę. Wartki nurt rynsztoka porwał żołnierzyka, który stał pewnie na swej jednej nodze na pokładzie łódki. Chłopcy wbiegli na most i pomachali ołowianemu bohaterowi na pożegnanie.

„Ależ wielkie fale są w tym rynsztoku!"
– pomyślał żołnierzyk. Papierowa łódeczka
podskakiwała na falach i obracała się w
kółko tak szybko, że żołnierzykowi serce
zamierało z trwogi. Nie okazywał jednak
strachu. Stojące obok przekupki nawet go
nie zauważyły.

Prąd unosił łódkę coraz dalej. Woda z rynsztoka wpadła do kanału, a potem do morza. Ołowiany bohater wciąż dzielnie trzymał broń na ramieniu. Łódeczka tymczasem nabierała coraz więcej wody, która najpierw sięgała mu do kolan, a po chwili zalała głowę. Żołnierzyk znalazł się w dziwnym świecie.

Wokół pływały kolorowe rybki
i korale, a rośliny wodne kołysały się
przyjaźnie.

Gdy żołnierzyk ze zdumieniem oglądał
wszystkie te podwodne cuda, podpłynęła
wielka ryba i połknęła go. Jakże ciemno
i ciasno było w rybim brzuchu!

Wtem coś szarpnęło, ryba zaczęła się miotać, po czym ucichła. Światło oślepiło żołnierzyka. To kucharka rozcięła brzuch ryby, przed chwilą kupionej na targu.

– Ołowiany żołnierzyk! – krzyknęła i zaniosła go do pokoju, by wszyscy mogli podziwiać cudowny przypadek.

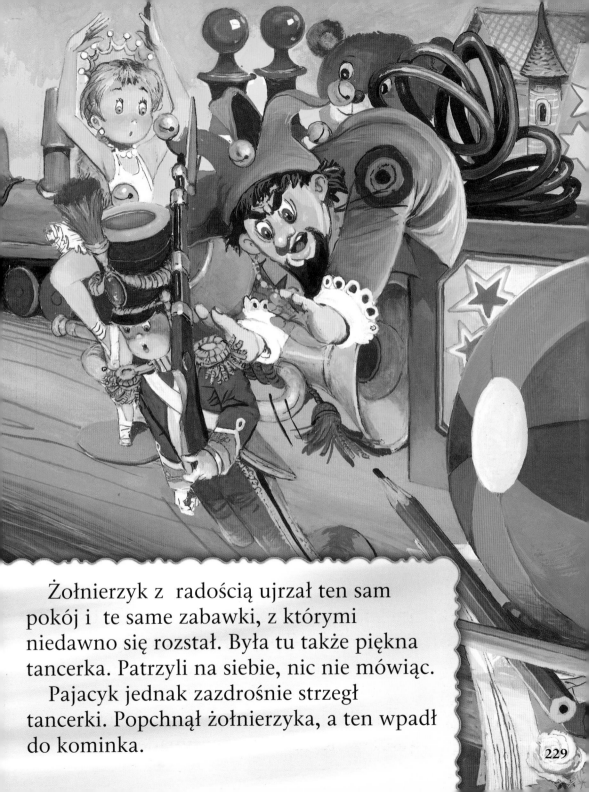

Żołnierzyk z radością ujrzał ten sam pokój i te same zabawki, z którymi niedawno się rozstał. Była tu także piękna tancerka. Patrzyli na siebie, nic nie mówiąc.

Pajacyk jednak zazdrośnie strzegł tancerki. Popchnął żołnierzyka, a ten wpadł do kominka.

Żołnierzyk szybko tracił kolory i zaczął się topić.

Nagle wiatr porwał tancerkę, a ona pofrunęła prosto do kominka. Błysnęła płomieniem.

Nazajutrz służąca, wygarniając popiół, znalazła żołnierzyka w postaci maleńkiego ołowianego serca. Z tancerki pozostało tylko kilka poczerniałych cekinów.